초등 수학 개념 집중 완성

교 과 특 강

KB087405

초2

B1

수 단위와 동전

사고력
문제해결력

측정 · 규칙성
자료와 가능성

에듀히어로 Edu HERO

"진짜 히어로는 우리 아이들입니다!"

에듀히어로는
우리 아이들이 밝고 건강한 내일을 꿈꿀 수 있도록
긍정적이고 효과적인 교육 서비스를 제공하는 것을
최우선 목표로 하고 있습니다.

그 존재만으로도 든든한 히어로처럼 아이들의 곁에서 힘이 되어주고,
나아가 아이들 각자가 스스로의 인생 속 히어로가 될 수 있도록

우리는 진심과 열정을 다해 아이들과 함께 할 것을 약속 드립니다.

네이버 카페
교재 상세 소개와 진단 테스트
및 유용하게 풀 수 있는
학습 자료를 다운로드 해 보세요.

인스타그램
에듀히어로 인스타그램을
팔로우하시면 다양한 이벤트와
신간 소식을 빠르게 만나보실
수 있습니다.

카카오톡 채널
자녀 수학 공부 상담 및
자유로운 질문을 남겨 주세요.
함께 고민하고
답변해 드리겠습니다.

히어로컨텐츠 HEROCONTENS

발행일: 2022년 12월   발행인: 이예찬

기획개발: 두줄수학연구소

디자인: 4BD STUDIO   삽화: 1000DAY

발행처: 히어로컨텐츠

주소: 서울특별시 금천구 서부샛길 632, 7층(대륭테크노타운5차)

전화: 02-862-2220   팩스: 02-862-2227

지원카페: cafe.naver.com/eduherocafe   인스타그램: @edu__hero   카카오톡: 에듀히어로

* 잘못된 책은 바꿔드립니다.

* 이 책의 전부 또는 일부 내용을 재사용하려면 사전에 저작권자의 동의를 받아야 합니다.

초등 수학 핵심파트 집중 완성 교과특강

수학을 잘 하기 위해서는 1) 수와 연산 2) 도형 3) 측정 4) 규칙성 5) 자료와 가능성 등 초등 수학 5대 학습 영역을 고르게 학습해야 합니다.

다른 교과 과목에 비해 많은 시간을 수학을 학습하는 데 할애하고 있지만 아쉽게도 대부분은 연산 영역에 편중되어 있습니다.

최근 들어 '도형' 등 연산 이외의 다른 영역으로 학습을 확장하는 교재들이 출간되고 있지만 여전히 학년별로 다양한 학습 영역과 필수 주제를 체계적으로 안내해 주는 학습지는 많지 않은 것이 현실입니다.

그런 이유로 교과특강은 학년별 필수 주제를 기본 개념부터 응용, 사고력까지 충분하게 학습하고 훈련할 수 있도록 개발되었습니다

수학을 잘 하고 싶은 학생들에게 노력한 만큼의 성장을 이루어내는 데 교과특강은 좋은 토양과 밑거름이 되어줄 것입니다.

초등 수학 핵심파트 집중 완성 교과특강은

1. '자료 해석 능력'을 집중적으로 키웁니다.

앞으로의 학습은 주어진 표와 그래프를 보고 그 의미를 해석하고 추론하는 '자료 해석 능력'을 요구합니다. 실제로 초등 전학년 뿐만 아니라 중등 과정에서도 '자료 해석'은 학습자의 문제해결력을 확인하는 중요한 소재가 되고 있습니다. 다양한 표와 그래프를 이해하고 해석하는 학습은 초등 과정부터 미리 준비하고 집중적으로 훈련할 필요가 있습니다.

2. '측정', '규칙성' 등 필수 영역임에도 쉽게 지나칠 수 있는 주제를 체계적으로 학습합니다.

길이, 무게, 시간, 어림하기 등 초등 과정에서 쉽게 지나치기 쉬운 '측정'과 추론 능력을 길러주는 '규칙성'을 집중적으로 학습합니다.

3. 복습과 예습으로 학년과 학년 사이의 징검다리 역할을 합니다.

1학년에서 2학년, 2학년에서 3학년, 3학년에서 4학년 등 학년이 올라갈수록 특정 영역에서 수학이 갑자기 어려워지는 순간이 옵니다. 교과특강은 각 학년에서 반드시 짚고 넘어가야 하는 주제를 복습하면서 다음 학년을 위한 예습까지 할 수 있도록 개발되었습니다.

4. 문제해결력과 사고력을 길러줍니다.

기본적인 개념을 바탕으로 이를 응용하고 활용하는 문제해결력과 생각하는 힘을 길러줍니다.

초등 수학 핵심파트 집중 완성 **교과특강**은

7세부터 6학년까지 총 7단계 21권(단계별 3권)으로 구성되어 있으며 각 권은 하루에 1장씩 주 5회, 총 4주간 체계적으로 학습할 수 있습니다.

매주 5일차의 학습이 끝난 뒤엔 '생각더하기'를 통해 창의력과 사고력을 기르고, 4주의 학습이 끝난 뒤엔 '링크'와 '형성평가'로 관련 주제를 학습하고 교과 수학을 완성할 수 있습니다.

대 상	단 계	구 성
7세 ~ 1학년	P	P1, P2, P3
1학년	A	A1, A2, A3
2학년	B	B1, B2, B3
3학년	C	C1, C2, C3
4학년	D	D1, D2, D3
5학년	E	E1, E2, E3
6학년	F	F1, F2, F3

〈교과 수학 시리즈 B단계 로드맵〉

에듀히어로의 교과 수학 시리즈를 체계적으로 학습하기 위한 로드맵입니다.

예습을 하며 집중적으로 학습하려면 '영역별 집중 학습'을,

교과서 진도에 맞추어 학습하려면 '교과 진도 맞춤 학습'을 권장드립니다.

[영역별 집중 학습]

1월	2월	3월	4월	5월	6월
교과연산 B0 / 교과도형 B1	교과연산 / 교과도형 B1	교과연산 / 교과도형 B3	교과연산 / 교과특강 B1	교과특강 B2	교과특강 B3

[교과 진도 맞춤 학습]

1월	2월	3월	4월	5월	6월	7월	8월	9월	10월
교과연산 B0	교과도형 B1	교과도형	교과연산	교과연산	교과도형 B1	교과연산	교과특강 B1	교과특강 B2	교과특강 B3

교과특강은 교과 수학을 완성합니다.

주제별 학습

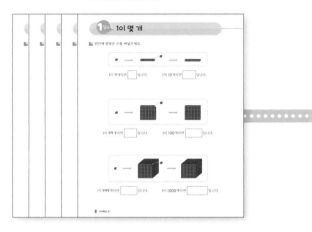

생각더하기

초등 수학을 주제별로 집중 학습합니다. 각 주차의 마지막에 있는 **생각더하기**로 문제해결력을 기릅니다.

링크

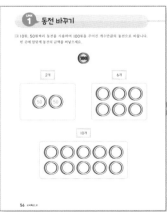

형성평가

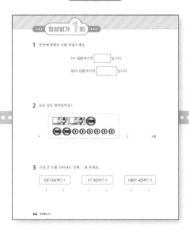

주제별 학습과 연결하여 사고력과 창의력을 향상시킬 수 있는 내용을 학습합니다.

2회의 형성평가로 배운 내용을 잘 알고 있는지 확인합니다.

이 책의 차례

1주차

단위의 개수

■ 빈칸에 알맞은 수를 써넣으세요.

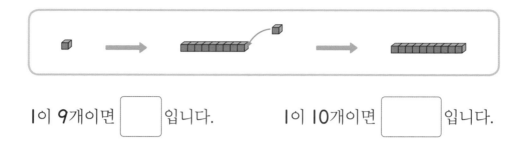

1이 **9**개이면 ☐ 입니다.　　1이 **10**개이면 ☐ 입니다.

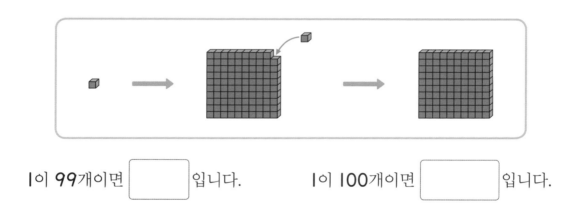

1이 **99**개이면 ☐ 입니다.　　1이 **100**개이면 ☐ 입니다.

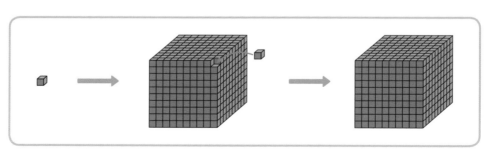

1이 **999**개이면 ☐ 입니다.　　1이 **1000**개이면 ☐ 입니다.

빈칸에 알맞은 수를 써넣으세요.

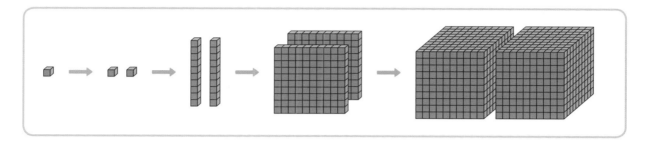

1이 2개이면 ☐ 입니다.

1이 20개이면 ☐ 입니다.

1이 200개이면 ☐ 입니다.

1이 2000개이면 ☐ 입니다.

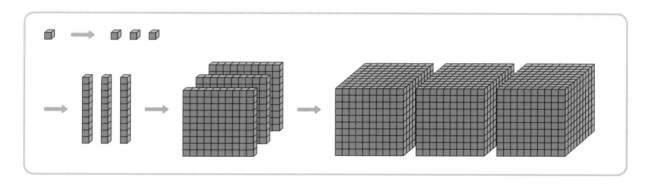

1이 3개이면 ☐ 입니다.

1이 30개이면 ☐ 입니다.

1이 300개이면 ☐ 입니다.

1이 3000개이면 ☐ 입니다.

빈칸에 알맞은 수를 써넣으세요.

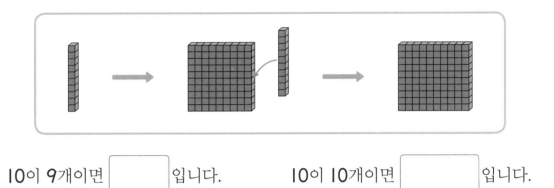

10이 **9**개이면 [   ] 입니다.   10이 **10**개이면 [   ] 입니다.

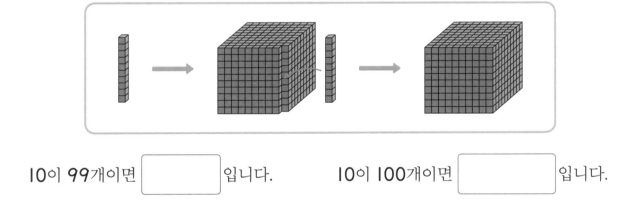

10이 **99**개이면 [   ] 입니다.   10이 **100**개이면 [   ] 입니다.

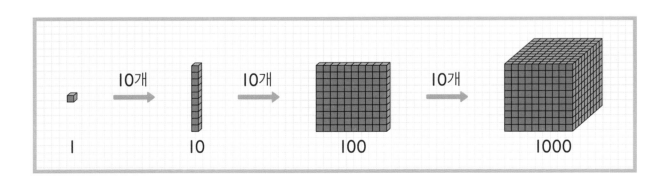

■ 빈칸에 알맞은 수를 써넣으세요.

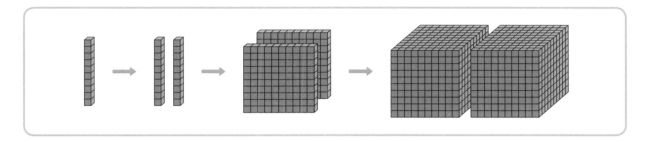

10이 2개이면 [ ] 입니다.   10이 20개이면 [ ] 입니다.

10이 200개이면 [ ] 입니다.

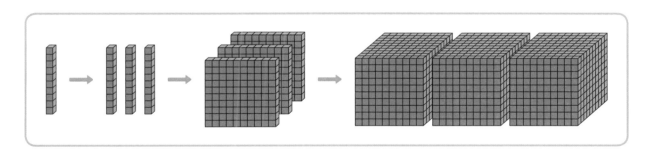

10이 3개이면 [ ] 입니다.   10이 30개이면 [ ] 입니다.

10이 300개이면 [ ] 입니다.

빈칸에 알맞은 수를 써넣으세요.

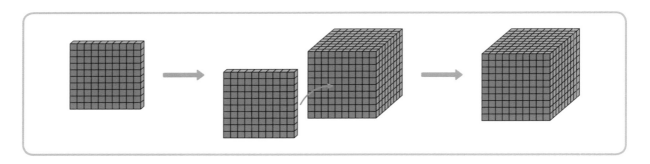

100이 **9**개이면 [　　　] 입니다.

100이 **10**개이면 [　　　] 입니다.

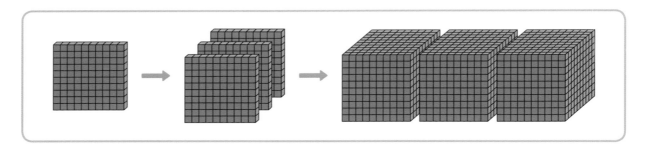

100이 **3**개이면 [　　　] 입니다.

100이 **30**개이면 [　　　] 입니다.

■ 빈칸에 알맞은 수를 써넣으세요.

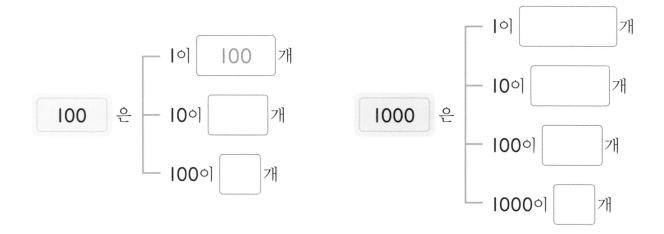

100 은
┌ 1이 [100] 개
├ 10이 [ ] 개
└ 100이 [ ] 개

1000 은
┌ 1이 [   ] 개
├ 10이 [   ] 개
├ 100이 [   ] 개
└ 1000이 [ ] 개

500 은
┌ 1이 [   ] 개
├ 10이 [   ] 개
└ 100이 [ ] 개

6000 은
┌ 1이 [   ] 개
├ 10이 [   ] 개
├ 100이 [   ] 개
└ 1000이 [ ] 개

다른 수를 나타내는 것에 ✕표 하세요.

100이 30개	100이 20개	1000이 2개

10이 70개	100이 7개	1000이 7개

10이 8개	100이 8개	1이 80개

100이 50개	10이 50개	1이 5000개

1000이 4개	1이 400개	10이 40개

10이 **9**개이면 99 입니다.   10이 **10**개이면

수정 후

10
쪽
·
11
쪽

2^{일차} 10이 몇 개

📋 빈칸에 알맞은 수를 써넣으세요.

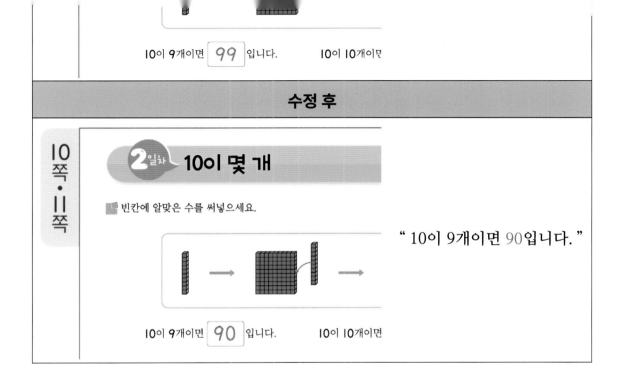

" 10이 9개이면 90입니다. "

10이 **9**개이면 90 입니다.   10이 **10**개이면

궁금한 점이 있으면 전화를 통해 문의해 주세요. (02-862-2220)

감사합니다.

교과특강 B1

틀린 부분을 바로잡습니다. 아래의 정오표를 참조해 주세요.

발행일	쪽수	수정 대상
2022년 12월	정답 2쪽	본문 10쪽, 2일차, 첫 문제의 정답

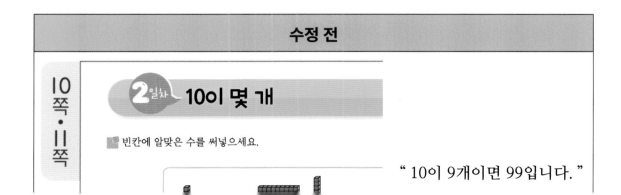

수정 전

10쪽·11쪽

2일차 **10이 몇 개**

■ 빈칸에 알맞은 수를 써넣으세요.

" 10이 9개이면 99입니다. "

■ 가장 큰 수를 나타내는 것부터 차례로 기호를 써 보세요.

⊙ 100이 9개인 수
ⓛ 100이 5개인 수
ⓒ 100이 10개인 수

(, ,)

⊙ 10이 100개인 수
ⓛ 10이 6개인 수
ⓒ 10이 10개인 수

(, ,)

⊙ 1000이 3개인 수
ⓛ 10이 30개인 수
ⓒ 1이 30개인 수

(, ,)

⊙ 10이 5개인 수
ⓛ 100이 50개인 수
ⓒ 1이 500개인 수

(, ,)

⊙ 100이 70개인 수
ⓛ 10이 800개인 수
ⓒ 1000이 9개인 수

(, ,)

⊙ 1이 400개인 수
ⓛ 100이 30개인 수
ⓒ 1이 2000개인 수

(, ,)

물음에 답하세요.

수박을 한 상자에 1개씩 넣었습니다. 200상자에 넣은 수박은 모두 몇 개일까요?

(   )개

오징어 한 마리의 다리는 10개입니다. 오징어 50마리의 다리는 모두 몇 개일까요?

(   )개

준서는 매일 줄넘기를 100번씩 넘습니다. 준서는 30일 동안 줄넘기를 모두 몇 번 넘었을까요?

(   )번

사과가 한 상자에 10개씩 들어 있습니다. 70상자에 들어 있는 사과는 모두 몇 개일까요?

(   )개

구슬이 파란색 주머니에 1개, 초록색 주머니에 10개, 빨간색 주머니에 100개 들어 있습니다. 물음에 답하세요.

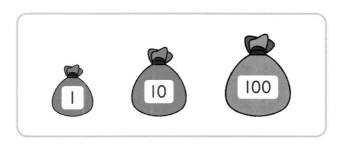

구슬이 1000개가 되려면 빨간색 주머니가 몇 개 필요한가요?

(   )개

구슬이 1000개가 되려면 초록색 주머니가 몇 개 필요한가요?

(   )개

구슬이 1000개가 되려면 파란색 주머니가 몇 개 필요한가요?

(   )개

귤 나누어 담기

한 상자에 100개씩 들어 있는 귤이 30상자 있습니다. 이 귤을 한 봉지에 10개씩 담는다면 몇 봉지가 나올까요?

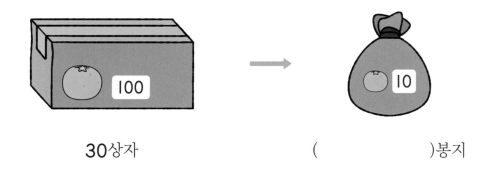

30상자   (   )봉지

2주차

동전의 금액

■ 동전은 얼마인지 세어 보세요.

(   )원

(   )원

(   )원

우리 나라에서 발행되는 동전은 **6**가지, 지폐는 **4**가지가 있습니다.
화폐 계산에서는 **1**원 단위까지 나타내지만 실생활에서 **1**원과 **5**원 동전은 사용되지 않습니다.

■ 알맞은 동전 또는 지폐에 ○표 하세요.

1이 5개이면 (**5** , **50** , **500** , 5000)입니다.

1이 10개이면 (**1** , **10** , **100** , 1000)입니다.

10이 5개이면 (**5** , **50** , **500** , 5000)입니다.

10이 10개이면 (**1** , **10** , **100** , 1000)입니다.

100이 5개이면 (**5** , **50** , **500** , 5000)입니다.

100이 10개이면 (**1** , **10** , **100** , 1000)입니다.

2일차 5, 50, 500

🔲 동전은 얼마인지 세어 보세요.

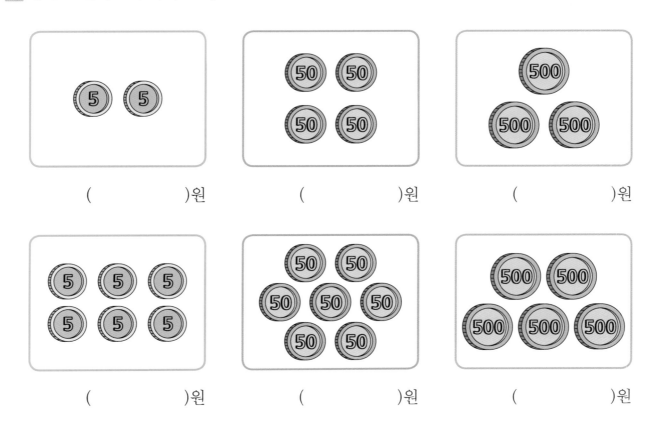

( )원   ( )원   ( )원

( )원   ( )원   ( )원

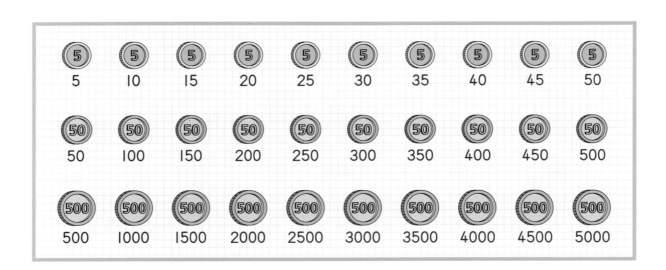

알맞은 동전 또는 지폐에 ◯표 하세요.

5 이 2개이면 (1 , 10 , 100 , )입니다.

5 이 10개이면 (5 , 50 , 500 , 5000)입니다.

50 이 2개이면 (1 , 10 , 100 , 1000)입니다.

50 이 10개이면 (5 , 50 , 500 , 5000)입니다.

500 이 2개이면 (1 , 10 , 100 , 1000)입니다.

500 이 10개이면 (5 , 50 , 500 , 5000)입니다.

3일차 100원 만들기

을 더 그려 넣어 100원이 되도록 만들어 보세요.

■ 100원이 되려면 얼마가 더 필요한지 써 보세요.

 ..... (   )원

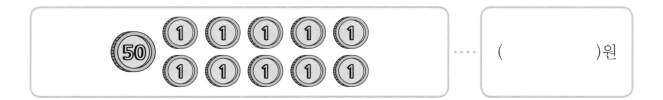 ..... (   )원

 ..... (   )원

..... (   )원

..... (   )원

을 더 그려 넣어 1000원이 되도록 만들어 보세요.

■ 1000원이 되려면 얼마가 더 필요한지 써 보세요.

(　　　　　)원

(　　　　　)원

(　　　　　)원

(　　　　　)원

(　　　　　)원

물음에 답하세요.

1원짜리 동전이 20개 있습니다. 100원이 되려면 얼마가 더 있어야 할까요?

(   )원

1원 동전이 20개이면 20원입니다.

10원짜리 동전이 10개 있습니다. 1000원이 되려면 얼마가 더 있어야 할까요?

(   )원

50원짜리 동전이 10개 있습니다. 1000원이 되려면 얼마가 더 있어야 할까요?

(   )원

물음에 답하세요.

태은이는 100원과 10원짜리 동전으로만 1000원을 가지고 있습니다. 100원짜리 동전이 8개라면 10원짜리 동전은 몇 개 가지고 있을까요?

( )개

10원짜리 동전이 7개 있습니다. 1원짜리 동전만 더해서 100원을 만들려면 1원짜리 동전은 몇 개 필요할까요?

( )개

저금통에 100원짜리 동전 7개가 들어 있습니다. 50원짜리 동전만 더 넣어서 1000원을 만들려면 50원짜리 동전을 몇 개 넣어야 할까요?

( )개

500원 미로

출발 부터 도착 까지 미로를 지나면서 모은 동전의 금액이 500원이 되도록 미로를 빠져나가 보세요.

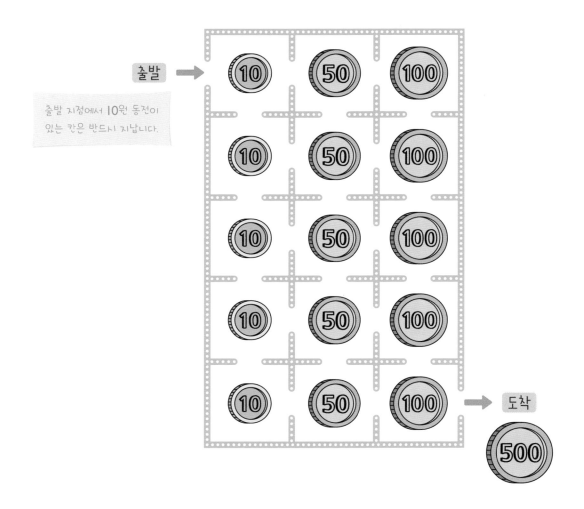

출발 지점에서 10원 동전이 있는 칸은 반드시 지납니다.

3주차
금액 세기

금액이 같은 것끼리 이어 보세요.

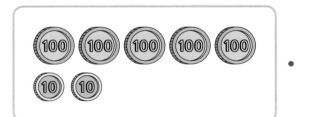

■ 모두 얼마인지 세어 보세요.

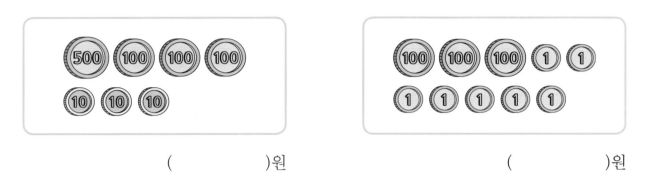

( )원 ( )원

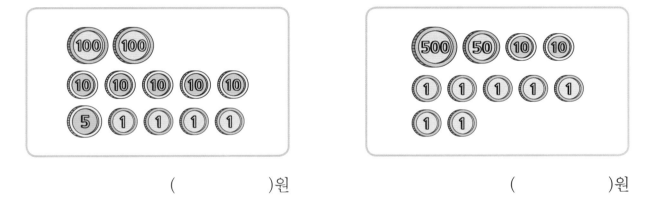

( )원 ( )원

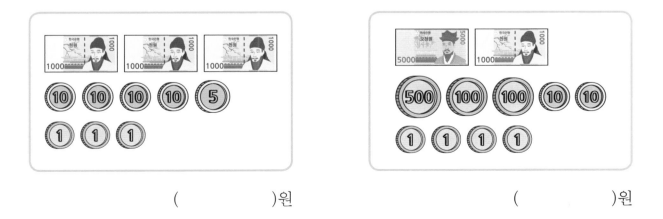

( )원 ( )원

2일차 남은 동전의 금액

100원이 되도록 묶었을 때 남은 동전은 얼마인지 세어 보세요.

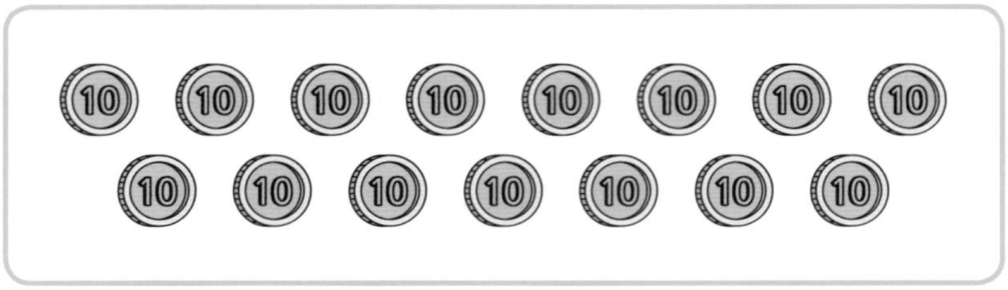
10 10 10 10 10 10 10 10
10 10 10 10 10 10 10

→ (　　　　　　)원

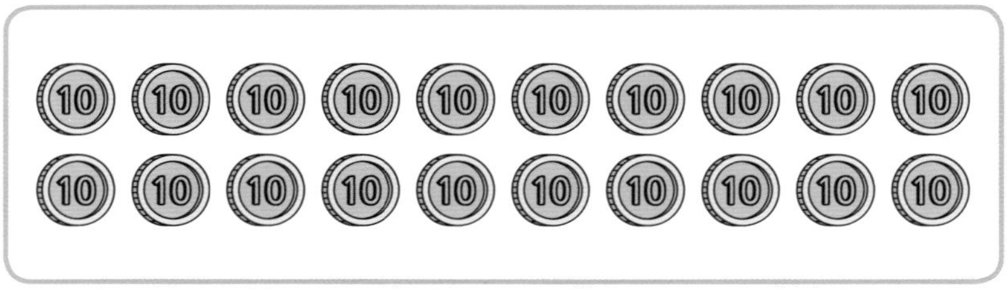
10 10 10 10 10 10 10 10 10 10
10 10 10 10 10 10 10 10 10 10

→ (　　　　　　)원

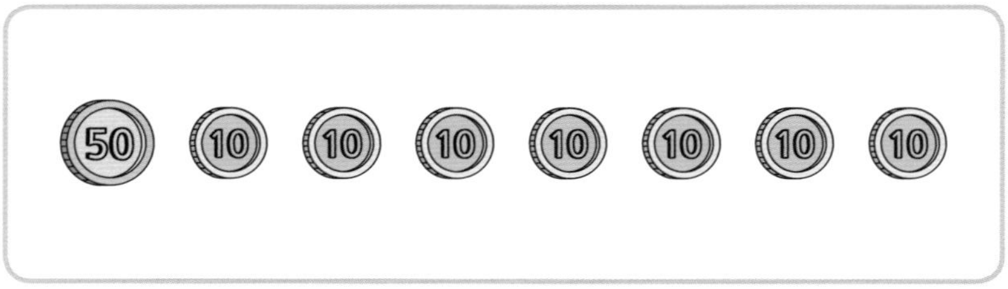
50 10 10 10 10 10 10 10

→ (　　　　　　)원

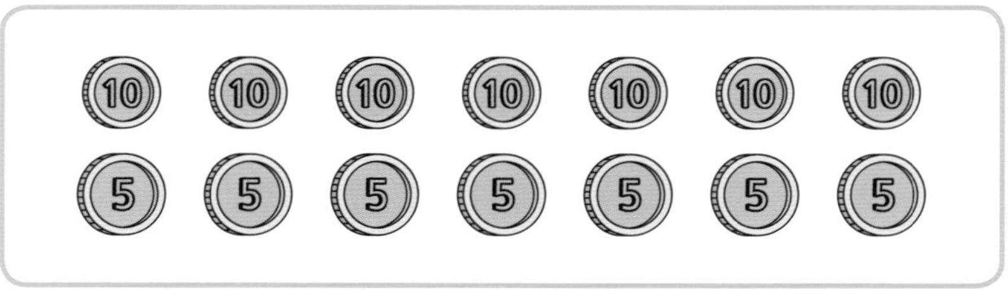
10 10 10 10 10 10 10
5 5 5 5 5 5 5

→ (　　　　　　)원

■ 1000원이 되도록 묶었을 때 남은 동전은 얼마인지 세어 보세요.

 → ( )원

 → ( )원

 → ( )원

 → ( )원

금액이 같은 것끼리 이어 보세요.

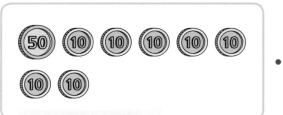

100원이 되도록 묶어 봅니다.

모두 얼마인지 세어 보세요.

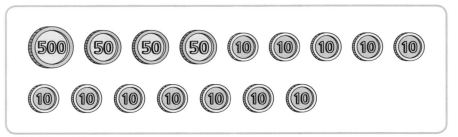

(   )원

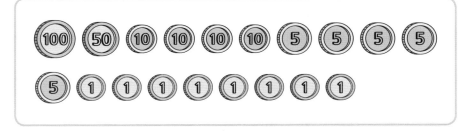

(   )원

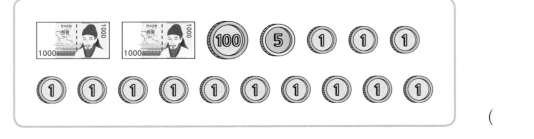

(   )원

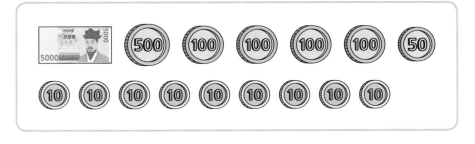

(   )원

세 친구가 가진 동전입니다. 물음에 답하세요.

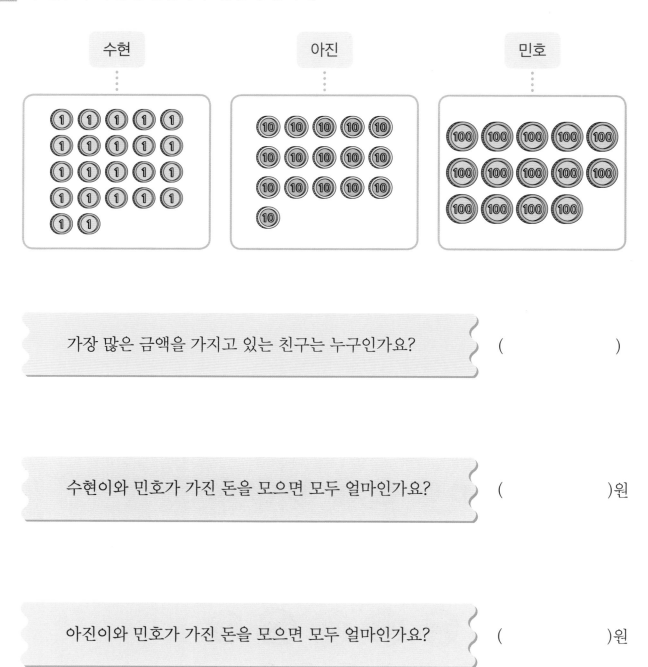

수현 아진 민호

가장 많은 금액을 가지고 있는 친구는 누구인가요?　　(　　　　　)

수현이와 민호가 가진 돈을 모으면 모두 얼마인가요?　　(　　　　　)원

아진이와 민호가 가진 돈을 모으면 모두 얼마인가요?　　(　　　　　)원

■ 세 친구가 가진 동전입니다. 물음에 답하세요.

지유

우재

예준

가장 적은 금액을 가지고 있는 친구는 누구인가요? ( )

지유와 우재가 가진 돈을 모으면 모두 얼마인가요? ( )원

우재와 예준이가 가진 돈을 모으면 모두 얼마인가요? ( )원

■ 물음에 답하세요.

100원짜리 동전이 1개, 10원짜리 동전이 14개, 1원짜리 동전이 3개 있습니다. 동전은 모두 얼마일까요?

10원 동전 14개는 100원 동전 1개와
10원 동전 4개로 다시 묶을 수 있습니다.

(   )원

100원짜리 동전이 6개, 10원짜리 동전이 9개, 1원짜리 동전이 15개 있습니다. 동전은 모두 얼마일까요?

(   )원

100원짜리 동전이 3개, 50원짜리 동전이 1개, 5원짜리 동전이 6개 있습니다. 동전은 모두 얼마일까요?

(   )원

500원짜리 동전이 1개, 100원짜리 동전이 4개, 50원짜리 동전이 3개 있습니다. 동전은 모두 얼마일까요?

(   )원

물음에 답하세요.

10원짜리 동전이 20개, 1원짜리 동전이 21개 있습니다. 동전은 모두 얼마일까요?

(   )원

100원짜리 동전이 17개, 10원짜리 동전이 15개 있습니다. 동전은 모두 얼마일까요?

(   )원

100원짜리 동전이 29개, 50원짜리 동전이 2개 있습니다. 동전은 모두 얼마일까요?

(   )원

500원짜리 동전이 4개, 100원짜리 동전이 12개 있습니다. 동전은 모두 얼마일까요?

(   )원

동전 바꾸기

지민이는 은행에서 500원짜리 동전 3개, 100원짜리 동전 20개, 50원짜리 동전 10개를 1000원짜리 지폐 몇 장으로 바꾸었습니다. 지민이는 1000원짜리 지폐를 몇 장 받았을까요?

3개   20개   10개

1000원짜리 지폐: (   )장

동전을 사용하는 개수별로 만들 수 있는 금액을 모두 써 보세요.

동전 1개: ___100___ 원, ___10___ 원, ___1___ 원

동전 2개: _____ 원, _____ 원, _____ 원

동전 3개: _____ 원

동전 1개: _____ 원, _____ 원, _____ 원

동전 2개: _____ 원, _____ 원, _____ 원

동전 3개: _____ 원

동전 1개: _____ 원, _____ 원

동전 2개: _____ 원, _____ 원

동전 3개: _____ 원

주어진 동전으로 만들 수 없는 금액에 ✕표 하세요.

151원	51원
150원	110원

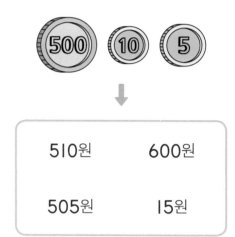

510원	600원
505원	15원

510원	1000원
1110원	500원

60원	70원
55원	15원

크고 작은 금액

■ 동전 4개 중 3개를 사용하여 만들 수 있는 가장 큰 금액을 써 보세요.

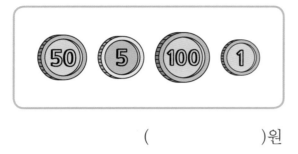

(   )원

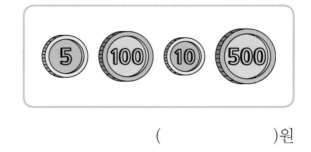

(   )원

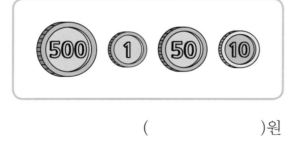

(   )원

(   )원

(   )원

(   )원

■ 동전 **4**개 중 **3**개를 사용하여 만들 수 있는 가장 작은 금액을 써 보세요.

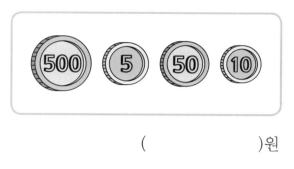

( )원

( )원

( )원

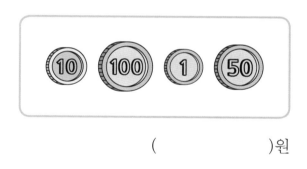

( )원

( )원

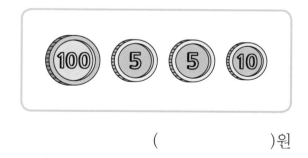

( )원

■ 동전 **4**개 중 **3**개를 사용하여 만들 수 있는 금액에 모두 ◯표 하세요.

115원	210원	16원
106원	111원	160원

동전 1개를 사용하지 않는 것과 같습니다.

520원	610원	160원
560원	710원	650원

115원	210원	250원
120원	205원	65원

■ 동전 **4**개 중 **3**개를 사용하여 만들 수 있는 금액을 모두 써 보세요.

_____ 원, _____ 원,

_____ 원, _____ 원

_____ 원, _____ 원,

_____ 원, _____ 원

_____ 원, _____ 원,

_____ 원

_____ 원, _____ 원,

_____ 원

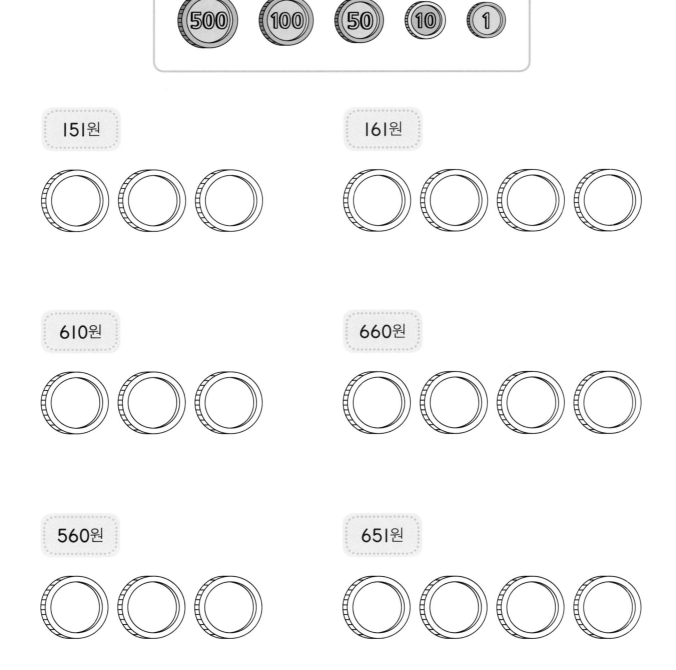

동전 5개 중 3개 또는 4개를 사용하여 금액을 만들었습니다. 빈 곳에 알맞게 동전의 금액을 써넣으세요.

500 100 50 10 1

151원

○ ○ ○

161원

○ ○ ○ ○

610원

○ ○ ○

660원

○ ○ ○ ○

560원

○ ○ ○

651원

○ ○ ○ ○

동전 5개 중 3개 또는 4개를 사용하여 금액을 만들었습니다. 빈 곳에 알맞게 동전의 금액을 써넣으세요.

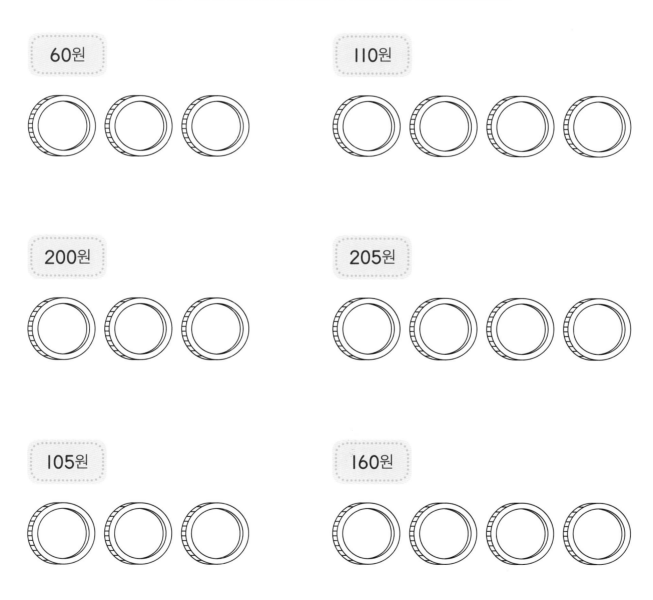

60원

110원

200원

205원

105원

160원

가로줄과 세로줄에 있는 동전 3개의 금액이 오른쪽과 아래에 적힌 금액이 되도록 각 칸에 동전을 하나씩 놓습니다. 빈 곳에 알맞은 동전의 금액을 써넣으세요. (10원, 50원, 100원, 500원짜리 동전만 사용합니다.)

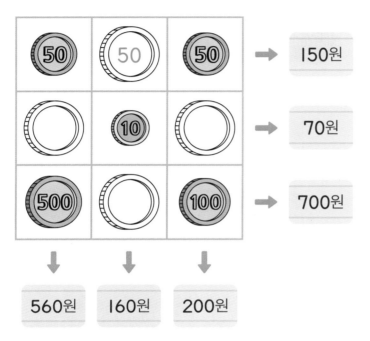

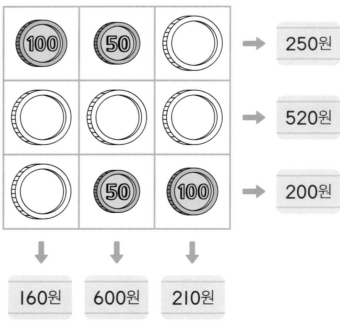

가로줄과 세로줄에 있는 동전 3개의 금액이 오른쪽과 아래에 적힌 금액이 되도록 각 칸에 동전을 하나씩 놓습니다. 빈 곳에 알맞은 동전의 금액을 써넣으세요. (10원, 50원, 100원, 500원짜리 동전만 사용합니다.)

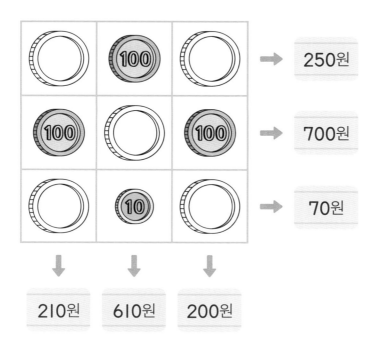

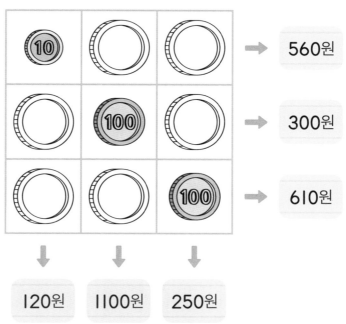

동전 4개

각 가로줄에서 동전을 하나씩 빼서 가로줄과 세로줄에 있는 동전의 금액이 오른쪽과 아래에 적힌 금액이 되도록 만듭니다. 빼는 동전 4개에 각각 ✕표 하세요.

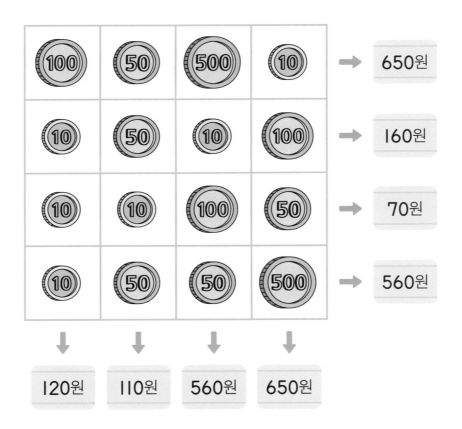

링크 동전의 개수와 금액

10원, 50원짜리 동전을 사용하여 100원을 주어진 개수만큼의 동전으로 바꿉니다. 빈 곳에 알맞게 동전의 금액을 써넣으세요.

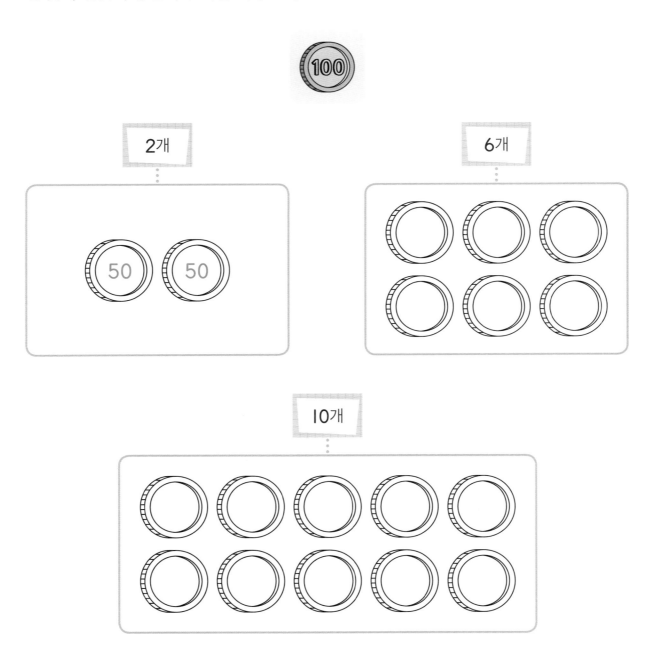

50원, 100원짜리 동전을 사용하여 500원을 주어진 개수만큼의 동전으로 바꿉니다.
빈 곳에 알맞게 동전의 금액을 써넣으세요.

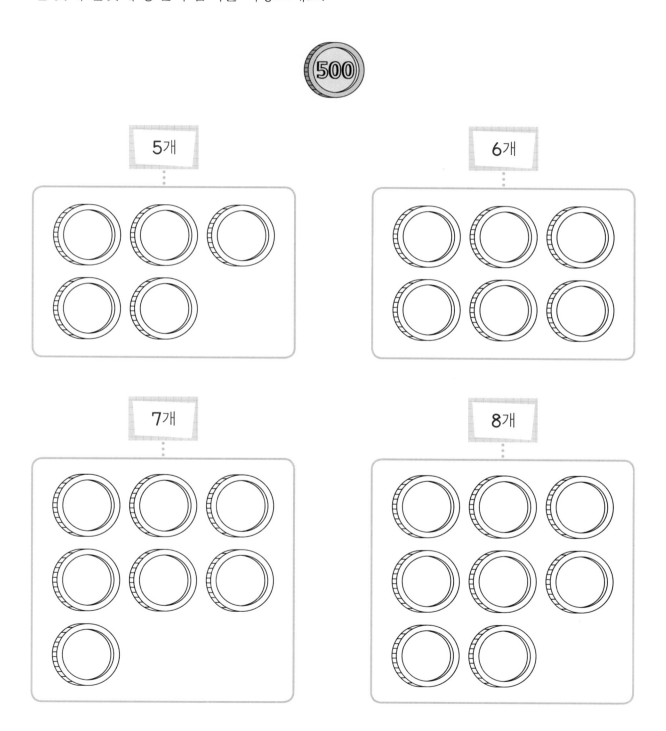

개수에 맞는 금액

◥ 10원, 50원, 100원, 500원짜리 동전을 사용하여 주어진 금액을 만듭니다. 동전의 개수에 맞도록 빈 곳에 알맞게 동전의 금액을 써넣으세요.

320원

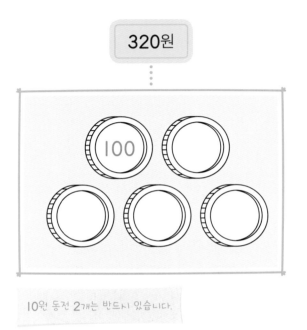

10원 동전 2개는 반드시 있습니다.

860원

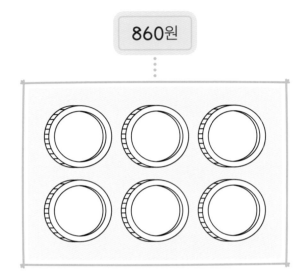

150원

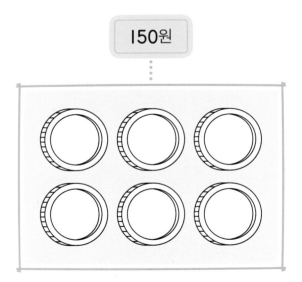

410원

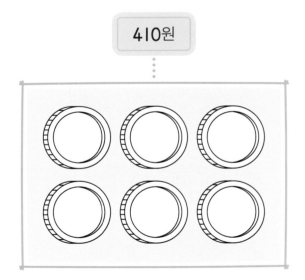

◤ 10원, 50원, 100원, 500원짜리 동전을 사용하여 주어진 금액을 만듭니다. 동전의 개수에 맞도록 빈 곳에 알맞게 동전의 금액을 써넣으세요.

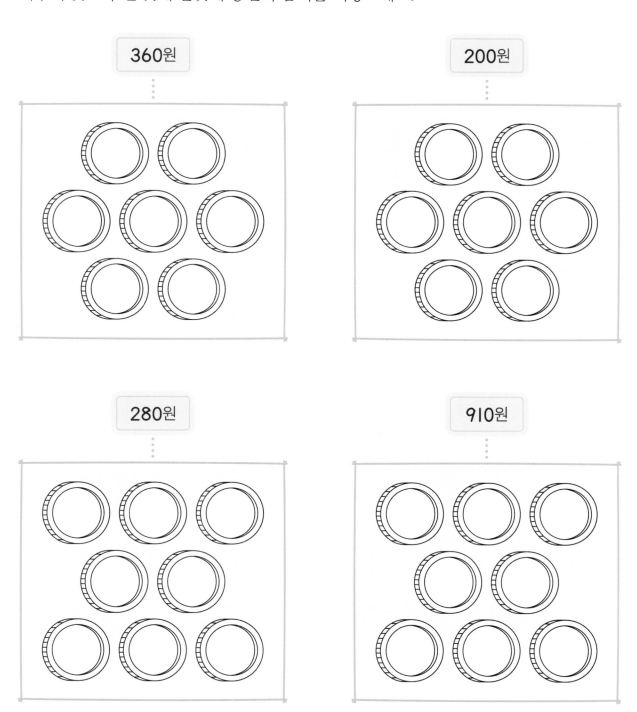

360원

200원

280원

910원

조건에 맞는 금액

◾ 가장 적은 개수의 동전으로 주어진 금액을 만듭니다. 동전을 알맞게 그리고 그린 동전의
개수를 써 보세요. (10원, 50원, 100원, 500원짜리 동전만 사용합니다.)

920원 ·····
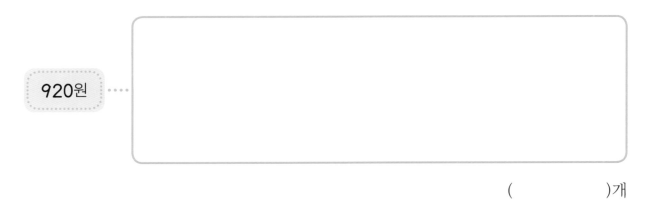

(   )개

390원 ·····

(   )개

670원 ·····

(   )개

■ 물음에 답하세요.

10원과 50원짜리 동전으로만 주어진 개수에 맞게 300원을 만듭니다.
빈 곳에 알맞게 동전의 금액을 써넣으세요.

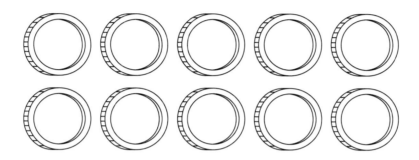

50원과 100원짜리 동전으로만 주어진 개수에 맞게 700원을 만듭니다.
빈 곳에 알맞게 동전의 금액을 써넣으세요.

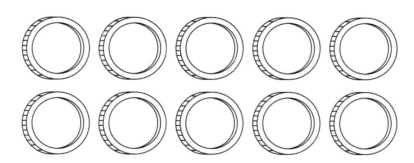

memo

형성평가

1 빈칸에 알맞은 수를 써넣으세요.

1이 100개이면 ☐ 입니다.

10이 100개이면 ☐ 입니다.

2 돈은 모두 얼마일까요?

(   )원

3 가장 큰 수를 나타내는 것에 ◯표 하세요.

10이 60개인 수	1이 50개인 수	100이 40개인 수
( )	( )	( )

4 100원짜리 동전 **7**개가 있습니다. 10원짜리 동전만 더해서 **1000**원이 되려면 10원
짜리 동전은 몇 개 필요할까요?

(   )개

5 지후는 가진 동전 **6**개 중 **4**개를 내고 **700**원 하는 젤리를 샀습니다. 빈 곳에 지후
가 낸 동전 **4**개의 금액을 써 보세요.

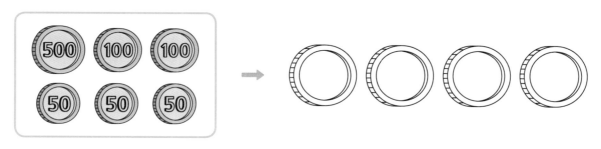

지후가 가진 동전

6 가은이는 100원짜리 동전 **11**개, 10원짜리 동전 **15**개, 1원짜리 동전 **7**개를 가지고
있습니다. 가은이가 가진 동전은 모두 얼마일까요?

(   )원

1 빈칸에 알맞은 수를 써넣으세요.

5000은 100이 ☐ 개인 수입니다.

5000은 10이 ☐ 개인 수입니다.

2 금액이 다른 것에 ✕표 하세요.

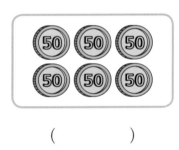

(   )   (   )   (   )

3 재혁이는 100원짜리 동전 30개를 내고 축구공을 샀습니다. 재혁이가 낸 돈은 얼마일까요?

(   )원

4 500원짜리 동전 1개와 50원짜리 동전 2개가 있습니다. 1000원이 되려면 얼마가 더 필요할까요?

(   )원

5 동전은 모두 얼마일까요?

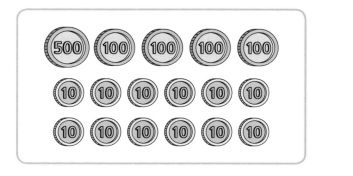

(   )원

6 동전 4개 중 3개를 사용하여 만들 수 있는 금액 중 100원보다 큰 금액을 모두 써 보세요.

(   )원, (   )원

memo

초등 수학 핵심파트 집중 완성

교과특강

정답

초2

B 1

수 단위와 동전

사고력
문제해결력

측정 · 규칙성
자료와 가능성

정답

B1

수 단위와 동전

1주차: 단위의 개수

1일차 1이 몇 개

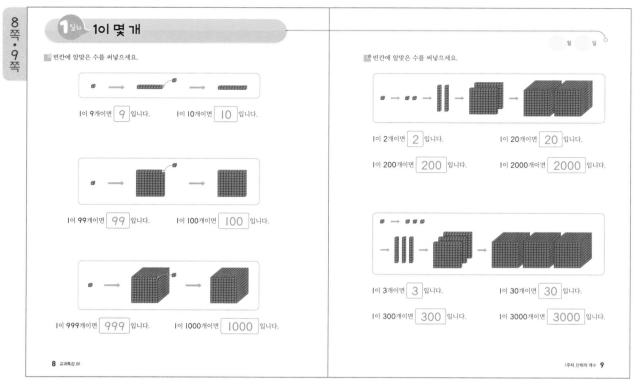

■ 빈칸에 알맞은 수를 써넣으세요.

1이 9개이면 9 입니다.　　1이 10개이면 10 입니다.

1이 99개이면 99 입니다.　　1이 100개이면 100 입니다.

1이 999개이면 999 입니다.　　1이 1000개이면 1000 입니다.

■ 빈칸에 알맞은 수를 써넣으세요.

1이 2개이면 2 입니다.　　1이 20개이면 20 입니다.

1이 200개이면 200 입니다.　　1이 2000개이면 2000 입니다.

1이 3개이면 3 입니다.　　1이 30개이면 30 입니다.

1이 300개이면 300 입니다.　　1이 3000개이면 3000 입니다.

2일차 10이 몇 개

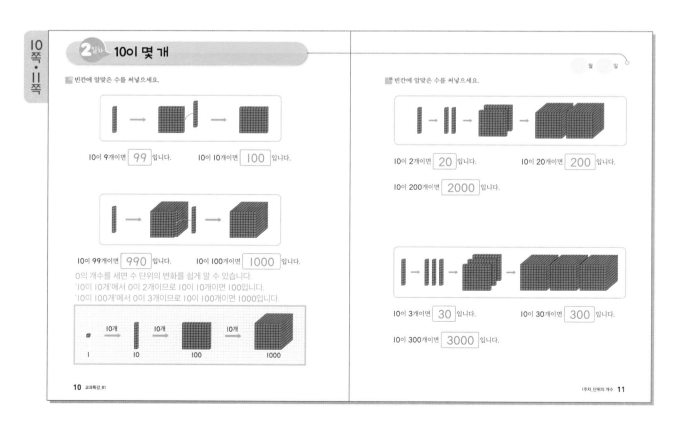

■ 빈칸에 알맞은 수를 써넣으세요.

10이 9개이면 99 입니다.　　10이 10개이면 100 입니다.

10이 99개이면 990 입니다.　　10이 100개이면 1000 입니다.

0의 개수를 세면 수 단위의 변화를 쉽게 알 수 있습니다.
'10이 10개'에서 0이 2개이므로 10이 10개이면 100입니다.
'10이 100개'에서 0이 3개이므로 10이 100개이면 1000입니다.

■ 빈칸에 알맞은 수를 써넣으세요.

10이 2개이면 20 입니다.　　10이 20개이면 200 입니다.

10이 200개이면 2000 입니다.

10이 3개이면 30 입니다.　　10이 30개이면 300 입니다.

10이 300개이면 3000 입니다.

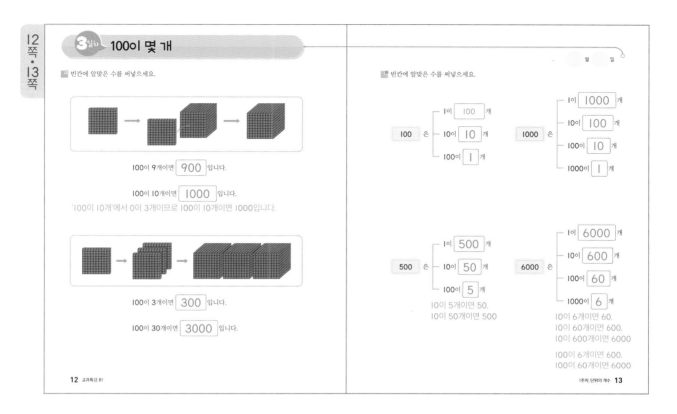

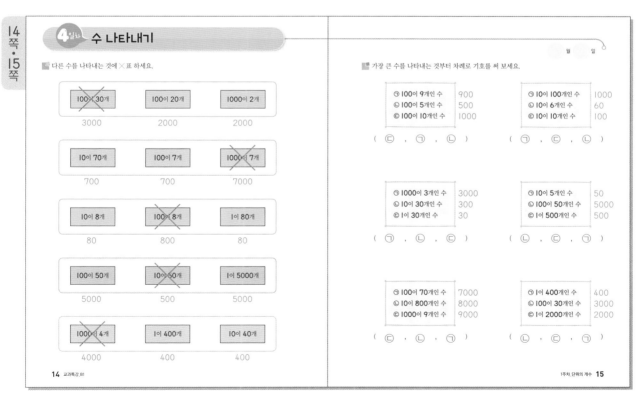

5일차 단위와 묶음

월 일

■ 물음에 답하세요.

> 수박을 한 상자에 1개씩 넣었습니다. 200상자에 넣은 수박은 모두 몇 개일까요?

1이 200개이면 200입니다.   (200)개

> 오징어 한 마리의 다리는 10개입니다. 오징어 50마리의 다리는 모두 몇 개일까요?

10이 50개이면 500입니다.   (500)개

> 준서는 매일 줄넘기를 100번씩 넘습니다. 준서는 30일 동안 줄넘기를 모두 몇 번 넘었을까요?

100이 30개이면 3000입니다.   (3000)번

> 사과가 한 상자에 10개씩 들어 있습니다. 70상자에 들어 있는 사과는 모두 몇 개일까요?

10이 70개이면 700입니다.   (700)개

■ 구슬이 파란색 주머니에 1개, 초록색 주머니에 10개, 빨간색 주머니에 100개 들어 있습니다. 물음에 답하세요.

> 구슬이 1000개가 되려면 빨간색 주머니가 몇 개 필요한가요?

100이 10개이면 1000입니다.   (10)개

> 구슬이 1000개가 되려면 초록색 주머니가 몇 개 필요한가요?

10이 100개이면 1000입니다.   (100)개

> 구슬이 1000개가 되려면 파란색 주머니가 몇 개 필요한가요?

1이 1000개이면 1000입니다.   (1000)개

생각 + 더하기

귤 나누어 담기

한 상자에 100개씩 들어 있는 귤이 30상자 있습니다. 이 귤을 한 봉지에 10개씩 담는다면 몇 봉지가 나올까요?

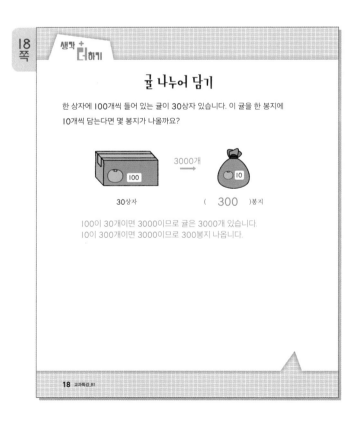

30상자   3000개   (300)봉지

100이 30개이면 3000이므로 귤은 3000개 있습니다.
10이 300개이면 3000이므로 300봉지 나옵니다.

2주차: 동전의 금액

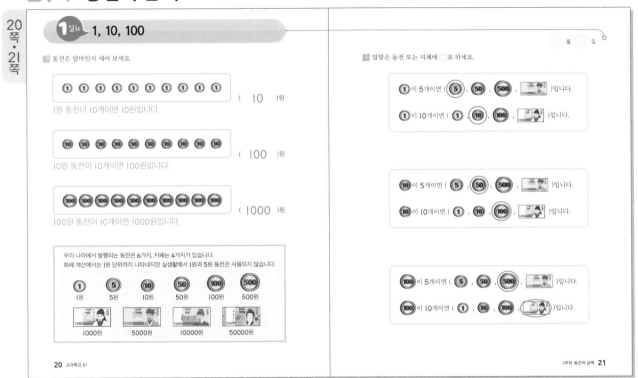

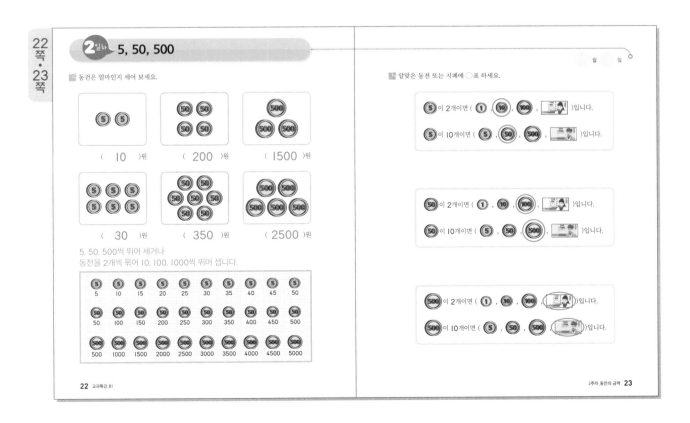

③일차 100원 만들기

월 일

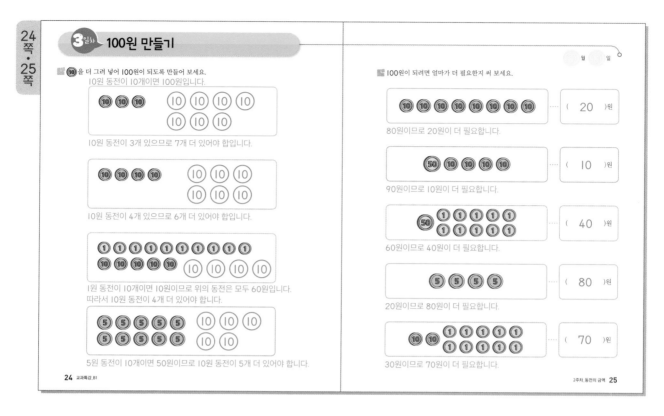

⑩을 더 그려 넣어 100원이 되도록 만들어 보세요.
10원 동전이 10개이면 100원입니다.

10원 동전이 3개 있으므로 7개 더 있어야 합입니다.

10원 동전이 4개 있으므로 6개 더 있어야 합니다.

1원 동전이 10개이면 10원이므로 위의 동전은 모두 60원입니다.
따라서 10원 동전이 4개 더 있어야 합니다.

5원 동전이 10개이면 50원이므로 10원 동전이 5개 더 있어야 합니다.

100원이 되려면 얼마가 더 필요한지 써 보세요.

(20)원
80원이므로 20원이 더 필요합니다.

(10)원
90원이므로 10원이 더 필요합니다.

(40)원
60원이므로 40원이 더 필요합니다.

(80)원
20원이므로 80원이 더 필요합니다.

(70)원
30원이므로 70원이 더 필요합니다.

④일차 1000원 만들기

월 일

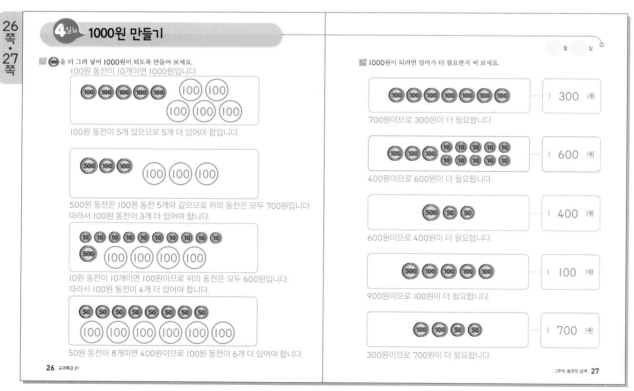

⑩⑩을 더 그려 넣어 1000원이 되도록 만들어 보세요.
100원 동전이 10개이면 1000원입니다.

100원 동전이 5개 있으므로 5개 더 있어야 합니다.

500원 동전은 100원 동전 5개와 같으므로 위의 동전은 모두 700원입니다.
따라서 100원 동전이 3개 더 있어야 합니다.

10원 동전이 10개이면 100원이므로 위의 동전은 모두 600원입니다.
따라서 100원 동전이 4개 더 있어야 합니다.

50원 동전이 8개이면 400원이므로 100원 동전이 6개 더 있어야 합니다.

1000원이 되려면 얼마가 더 필요한지 써 보세요.

(300)원
700원이므로 300원이 더 필요합니다.

(600)원
400원이므로 600원이 더 필요합니다.

(400)원
600원이므로 400원이 더 필요합니다.

(100)원
900원이므로 100원이 더 필요합니다.

(700)원
300원이므로 700원이 더 필요합니다.

5일차 금액 만들기

■ 물음에 답하세요.

1원짜리 동전이 20개 있습니다. 100원이 되려면 얼마가 더 있어야 할까요?

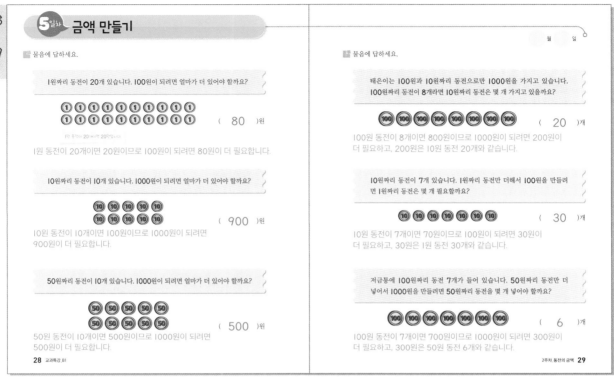

(80)원

1원 동전이 20개이면 20원이므로 100원이 되려면 80원이 더 필요합니다.

10원짜리 동전이 10개 있습니다. 1000원이 되려면 얼마가 더 있어야 할까요?

(900)원

10원 동전이 10개이면 100원이므로 1000원이 되려면 900원이 더 필요합니다.

50원짜리 동전이 10개 있습니다. 1000원이 되려면 얼마가 더 있어야 할까요?

(500)원

50원 동전이 10개이면 500원이므로 1000원이 되려면 500원이 더 필요합니다.

■ 물음에 답하세요.

태은이는 100원과 10원짜리 동전으로만 1000원을 가지고 있습니다. 100원짜리 동전이 8개라면 10원짜리 동전은 몇 개 가지고 있을까요?

(20)개

100원 동전이 8개이면 800원이므로 1000원이 되려면 200원이 더 필요하고, 200원은 10원 동전 20개와 같습니다.

10원짜리 동전이 7개 있습니다. 1원짜리 동전만 더해서 100원을 만들려면 1원짜리 동전은 몇 개 필요할까요?

(30)개

10원 동전이 7개이면 70원이므로 100원이 되려면 30원이 더 필요하고, 30원은 1원 동전 30개와 같습니다.

저금통에 100원짜리 동전 7개가 들어 있습니다. 50원짜리 동전만 더 넣어서 1000원을 만들려면 50원짜리 동전을 몇 개 넣어야 할까요?

(6)개

100원 동전이 7개이면 700원이므로 1000원이 되려면 300원이 더 필요하고, 300원은 50원 동전 6개와 같습니다.

생각 + 더하기

500원 미로

출발 부터 도착 까지 미로를 지나면서 모은 동전의 금액이 500원이 되도록 미로를 빠져나가 보세요.

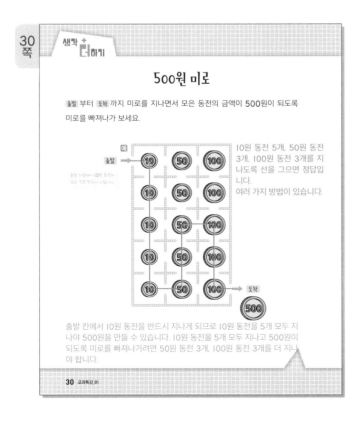

10원 동전 5개, 50원 동전 3개, 100원 동전 3개를 지나도록 선을 그으면 정답입니다.
여러 가지 방법이 있습니다.

출발 칸에서 10원 동전을 반드시 지나게 되므로 10원 동전을 5개 모두 지나야 500원을 만들 수 있습니다. 10원 동전을 5개 모두 지나고 500원이 되도록 미로를 빠져나가려면 50원 동전 3개, 100원 동전 3개를 더 지나야 합니다.

3주차: 금액 세기

1일차 금액 세기 (1)

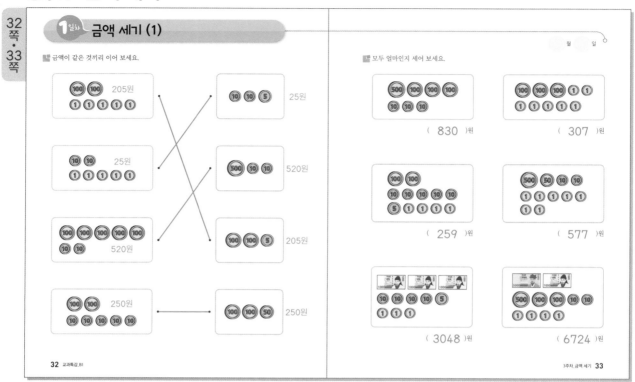

월   일

■ 금액이 같은 것끼리 이어 보세요.

■ 모두 얼마인지 세어 보세요.

(830)원

(307)원

(259)원

(577)원

(3048)원

(6724)원

2일차 남은 동전의 금액

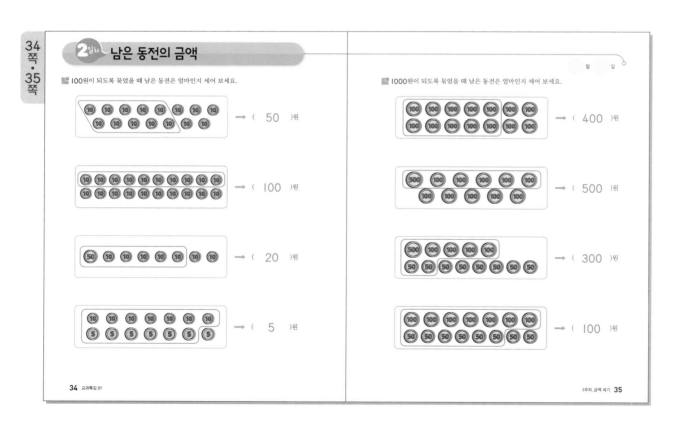

월   일

■ 100원이 되도록 묶었을 때 남은 동전은 얼마인지 세어 보세요.

■ 1000원이 되도록 묶었을 때 남은 동전은 얼마인지 세어 보세요.

→ (50)원

→ (400)원

→ (100)원

→ (500)원

→ (20)원

→ (300)원

→ (5)원

→ (100)원

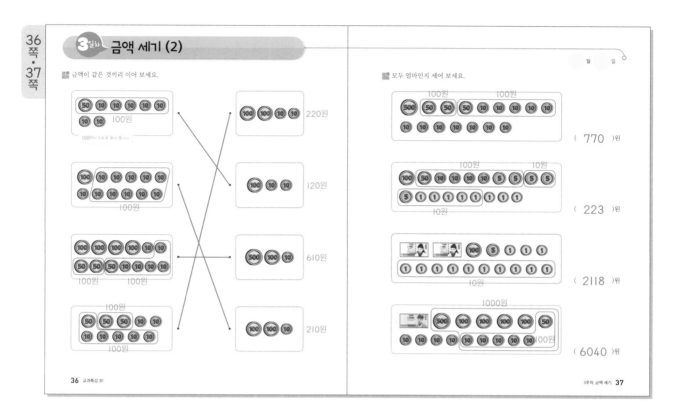

3일차 금액 세기 (2)

■ 금액이 같은 것끼리 이어 보세요.

220원

120원

610원

210원

■ 모두 얼마인지 세어 보세요.

(770)원

(223)원

(2118)원

(6040)원

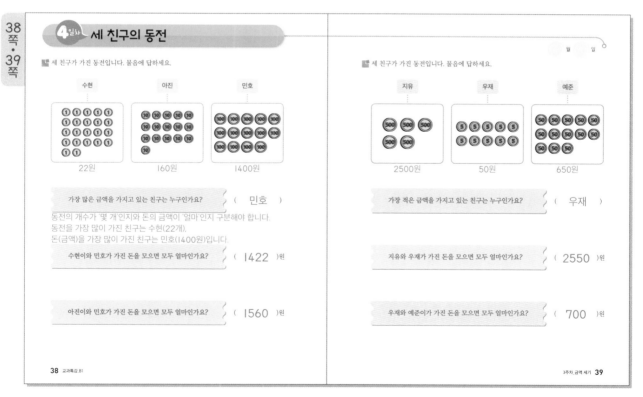

4일차 세 친구의 동전

■ 세 친구가 가진 동전입니다. 물음에 답하세요.

수현 / 아진 / 민호

22원 / 160원 / 1400원

가장 많은 금액을 가지고 있는 친구는 누구인가요? (민호)

동전의 개수가 '몇 개'인지와 돈의 금액이 '얼마'인지 구분해야 합니다.
동전을 가장 많이 가진 친구는 수현(22개),
돈(금액)을 가장 많이 가진 친구는 민호(1400원)입니다.

수현이와 민호가 가진 돈을 모으면 모두 얼마인가요? (1422)원

아진이와 민호가 가진 돈을 모으면 모두 얼마인가요? (1560)원

■ 세 친구가 가진 동전입니다. 물음에 답하세요.

지유 / 우재 / 예준

2500원 / 50원 / 650원

가장 적은 금액을 가지고 있는 친구는 누구인가요? (우재)

지유와 우재가 가진 돈을 모으면 모두 얼마인가요? (2550)원

우재와 예준이가 가진 돈을 모으면 모두 얼마인가요? (700)원

5일차 금액 구하기

■ 물음에 답하세요.

100원짜리 동전이 1개, 10원짜리 동전이 14개, 1원짜리 동전이 3개 있습니다. 동전은 모두 얼마일까요? 100원 1개, 10원 4개

10원 동전 14개는 100원 동전 1개와   100원 2개, 10원 4개, 1원 3개   (243)원
10원 동전 4개로 나눌 수 있습니다.   → 243원

100원짜리 동전이 6개, 10원짜리 동전이 9개, 1원짜리 동전이 15개 있습니다. 동전은 모두 얼마일까요? 10원 1개, 1원 5개

100원 6개, 10원 10개, 1원 5개   (705)원
→ 705원

100원짜리 동전이 3개, 50원짜리 동전이 1개, 5원짜리 동전이 6개 있습니다. 동전은 모두 얼마일까요? 10원 3개

100원 3개, 50원 1개, 10원 3개   (380)원
→ 380원

500원짜리 동전이 1개, 100원짜리 동전이 4개, 50원짜리 동전이 3개 있습니다. 동전은 모두 얼마일까요? 100원 1개, 50원 1개

500원 1개, 100원 5개, 50원 1개   (1050)원
→ 1050원

■ 물음에 답하세요.

10원짜리 동전이 20개, 1원짜리 동전이 21개 있습니다. 동전은 모두 얼마일까요? 100원 2개   100원 2개, 1원 1개

100원 2개, 10원 2개, 1원 1개   (221)원
→ 221원

100원짜리 동전이 17개, 10원짜리 동전이 15개 있습니다. 동전은 모두 얼마일까요? 1000원 1장,   100원 1개, 10원 5개
              100원 7개

1000원 1장, 100원 8개, 10원 5개   (1850)원
→ 1850원

100원짜리 동전이 29개, 50원짜리 동전이 2개 있습니다. 동전은 모두 얼마일까요? 1000원 2장,   100원 1개
              100원 9개

1000원 2장, 100원 10개   (3000)원
→ 3000원

500원짜리 동전이 4개, 100원짜리 동전이 12개 있습니다. 동전은 모두 얼마일까요? 1000원 2장   1000원 1장, 100원 2개

1000원 3장, 100원 2개   (3200)원
→ 3200원

생각 더하기

동전 바꾸기

지민이는 은행에서 500원짜리 동전 3개, 100원짜리 동전 20개, 50원짜리 동전 10개를 1000원짜리 지폐 몇 장으로 바꾸었습니다. 지민이는 1000원짜리 지폐를 몇 장 받았을까요?

500   100   50
3개   20개   10개
1000원 1장,   1000원 2장,   500원 1개
500원 1개

1000원짜리 지폐: (4)장

500원짜리 동전 2개는 다시 1000원짜리 지폐 1장으로
바꿀 수 있으므로 1000원짜리 지폐를 모두 4장 받았습니다.

4주차: 만들 수 있는 금액

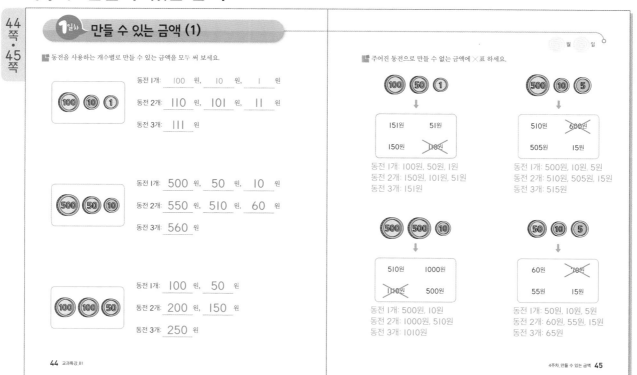

1일차 만들 수 있는 금액 (1)

■ 동전을 사용하는 개수별로 만들 수 있는 금액을 모두 써 보세요.

동전 1개: 100 원, 10 원, 1 원
동전 2개: 110 원, 101 원, 11 원
동전 3개: 111 원

동전 1개: 500 원, 50 원, 10 원
동전 2개: 550 원, 510 원, 60 원
동전 3개: 560 원

동전 1개: 100 원, 50 원
동전 2개: 200 원, 150 원
동전 3개: 250 원

■ 주어진 동전으로 만들 수 없는 금액에 ✕표 하세요.

151원   51원
150원   110원

동전 1개: 100원, 50원, 1원
동전 2개: 150원, 101원, 51원
동전 3개: 151원

510원   600원
505원   15원

동전 1개: 500원, 10원, 5원
동전 2개: 510원, 505원, 15원
동전 3개: 515원

510원   1000원
110원   500원

동전 1개: 500원, 10원
동전 2개: 1000원, 510원
동전 3개: 1010원

60원   70원
55원   15원

동전 1개: 50원, 10원, 5원
동전 2개: 60원, 55원, 15원
동전 3개: 65원

44 교과특강_B1

4주차. 만들 수 있는 금액 45

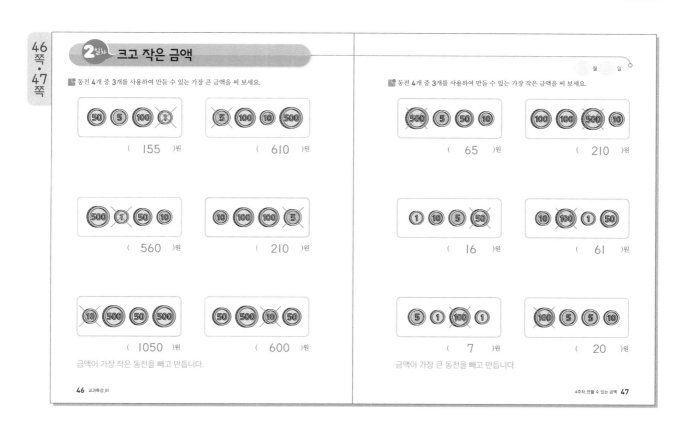

2일차 크고 작은 금액

■ 동전 4개 중 3개를 사용하여 만들 수 있는 가장 큰 금액을 써 보세요.

(155)원

(610)원

(560)원

(210)원

(1050)원

(600)원

금액이 가장 작은 동전을 빼고 만듭니다.

■ 동전 4개 중 3개를 사용하여 만들 수 있는 가장 작은 금액을 써 보세요.

(65)원

(210)원

(16)원

(61)원

(7)원

(20)원

금액이 가장 큰 동전을 빼고 만듭니다.

46 교과특강_B1

4주차. 만들 수 있는 금액 47

정답 **11**

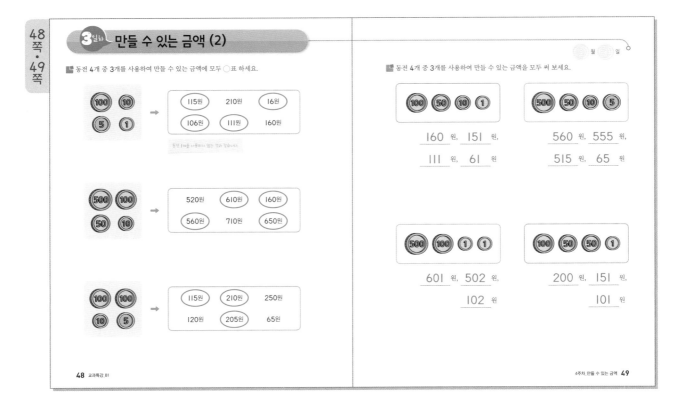

3일차 만들 수 있는 금액 (2)

동전 4개 중 3개를 사용하여 만들 수 있는 금액에 모두 ◯표 하세요.

(100)(10)(5)(1) → 〔115원〕 210원 〔16원〕 〔106원〕 〔111원〕 160원

동전 1개를 사용하지 않는 경우 같습니다.

(500)(100)(50)(10) → 520원 〔610원〕 〔160원〕 〔560원〕 710원 〔650원〕

(100)(100)(10)(5) → 〔115원〕 〔210원〕 250원 120원 〔205원〕 65원

동전 4개 중 3개를 사용하여 만들 수 있는 금액을 모두 써 보세요.

(100)(50)(10)(1)
160 원, 151 원,
111 원, 61 원

(500)(50)(10)(5)
560 원, 555 원,
515 원, 65 원

(500)(100)(1)(1)
601 원, 502 원,
102 원

(100)(50)(50)(1)
200 원, 151 원,
101 원

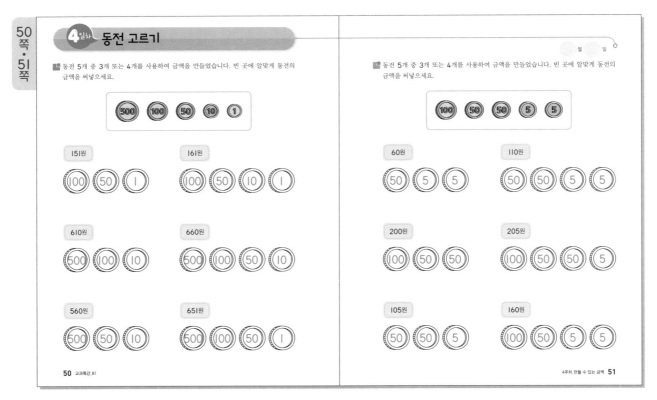

4일차 동전 고르기

동전 5개 중 3개 또는 4개를 사용하여 금액을 만들었습니다. 빈 곳에 알맞게 동전의 금액을 써넣으세요.

(500)(100)(50)(10)(1)

151원
(100)(50)(1)

161원
(100)(50)(10)(1)

610원
(500)(100)(10)

660원
(500)(100)(50)(10)

560원
(500)(50)(10)

651원
(500)(100)(50)(1)

동전 5개 중 3개 또는 4개를 사용하여 금액을 만들었습니다. 빈 곳에 알맞게 동전의 금액을 써넣으세요.

(100)(50)(50)(5)(5)

60원
(50)(5)(5)

110원
(50)(50)(5)(5)

200원
(100)(50)(50)

205원
(100)(50)(50)(5)

105원
(50)(50)(5)

160원
(100)(50)(5)(5)

5일차 동전 매트릭스

■ 가로줄과 세로줄에 있는 동전 3개의 금액이 오른쪽과 아래에 적힌 금액이 되도록 각 칸에 동전을 하나씩 놓습니다. 빈 곳에 알맞은 동전의 금액을 써넣으세요. (10원, 50원, 100원, 500원짜리 동전만 사용합니다.)

50	50	50	→ 150원
10	10	50	→ 70원
500	100	100	→ 700원

↓ ↓ ↓

560원 160원 200원

100	50	100	→ 250원
10	500	10	→ 520원
50	50	100	→ 200원

↓ ↓ ↓

160원 600원 210원

월   일

■ 가로줄과 세로줄에 있는 동전 3개의 금액이 오른쪽과 아래에 적힌 금액이 되도록 각 칸에 동전을 하나씩 놓습니다. 빈 곳에 알맞은 동전의 금액을 써넣으세요. (10원, 50원, 100원, 500원짜리 동전만 사용합니다.)

100	100	50	→ 250원
100	500	100	→ ① 700원
10	10	50	→ 70원

↓ ↓ ↓②

210원 610원 200원

① 700원이 되려면 500원 1개가 더 필요합니다.
② 200원이 되려면 50원 2개가 더 필요하므로 위와 아래 칸에 각각 50원을 놓습니다.

① 1100원이 되려면 500원 2개가 더 필요하므로 위와 아래 칸에 각각 500원을 놓습니다.
② 300원이 되려면 100원 2개가 더 필요하므로 왼쪽과 오른쪽 칸에 각각 100원을 놓습니다.

10	500	50	→ 560원
100	100	100	→ ② 300원
10	500	100	→ 610원

↓① ↓ ↓

120원 1100원 250원

생각 + 더하기

동전 4개

각 가로줄에서 동전을 하나씩 빼서 가로줄과 세로줄에 있는 동전의 금액이 오른쪽과 아래에 적힌 금액이 되도록 만듭니다. 빼는 동전 4개에 각각 ✕표 하세요.

100	50	500	10✕	→ ① 650원
10✕	50	10	100	→ ③ 160원
10	10	100✕	50	→ ② 70원
10	50✕	50	500	→ ④ 560원

↓ ↓ ↓ ↓

120원 110원 560원 650원

① 10원을 뺍니다.   ② 100원을 뺍니다.
③ 10원을 빼야 하는데 오른쪽의 10원을 빼면 세로줄의 금액을 맞출 수 없으므로 왼쪽의 10원을 뺍니다.
④ 50원을 빼야 하는데 오른쪽의 50원을 빼면 세로줄의 금액을 맞출 수 없으므로 왼쪽의 50원을 뺍니다.

정답

링크: 동전의 개수와 금액

LINK 1 동전 바꾸기

월 일

☑ 10원, 50원짜리 동전을 사용하여 100원을 주어진 개수만큼의 동전으로 바꿉니다. 빈 곳에 알맞게 동전의 금액을 써넣으세요.

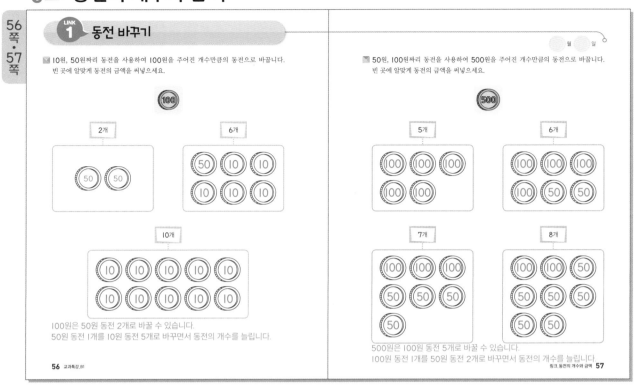

100원은 50원 동전 2개로 바꿀 수 있습니다.
50원 동전 1개를 10원 동전 5개로 바꾸면서 동전의 개수를 늘립니다.

☑ 50원, 100원짜리 동전을 사용하여 500원을 주어진 개수만큼의 동전으로 바꿉니다. 빈 곳에 알맞게 동전의 금액을 써넣으세요.

500원은 100원 동전 5개로 바꿀 수 있습니다.
100원 동전 1개를 50원 동전 2개로 바꾸면서 동전의 개수를 늘립니다.

LINK 2 개수에 맞는 금액

월 일

☑ 10원, 50원, 100원, 500원짜리 동전을 사용하여 주어진 금액을 만듭니다. 동전의 개수에 맞도록 빈 곳에 알맞게 동전의 금액을 써넣으세요.

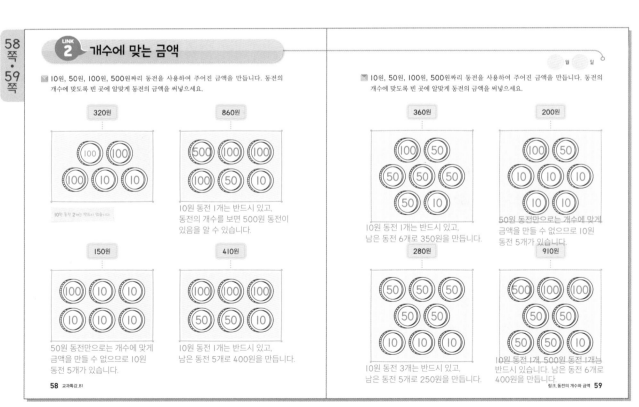

320원
10원 동전 2개는 반드시 있습니다.

860원
10원 동전 1개는 반드시 있고, 동전의 개수를 보면 500원 동전이 있음을 알 수 있습니다.

150원
50원 동전만으로는 개수에 맞게 금액을 만들 수 없으므로 10원 동전 5개가 있습니다.

410원
10원 동전 1개는 반드시 있고, 남은 동전 5개로 400원을 만듭니다.

☑ 10원, 50원, 100원, 500원짜리 동전을 사용하여 주어진 금액을 만듭니다. 동전의 개수에 맞도록 빈 곳에 알맞게 동전의 금액을 써넣으세요.

360원
10원 동전 1개는 반드시 있고, 남은 동전 6개로 350원을 만듭니다.

200원
50원 동전만으로는 개수에 맞게 금액을 만들 수 없으므로 10원 동전 5개가 있습니다.

280원
10원 동전 3개는 반드시 있고, 남은 동전 5개로 250원을 만듭니다.

910원
10원 동전 1개, 500원 동전 1개는 반드시 있습니다. 남은 동전 6개로 400원을 만듭니다.

LINK 3 조건에 맞는 금액

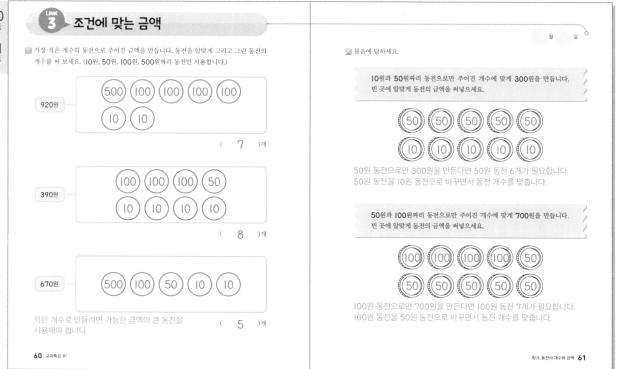

가장 적은 개수의 동전으로 주어진 금액을 만듭니다. 동전을 알맞게 그리고 그린 동전의 개수를 써 보세요. (10원, 50원, 100원, 500원짜리 동전만 사용합니다.)

920원 — (500)(100)(100)(100)(100)
(10)(10)

(7)개

390원 — (100)(100)(100)(50)
(10)(10)(10)(10)

(8)개

670원 — (500)(100)(50)(10)(10)

적은 개수로 만들려면 가능한 금액이 큰 동전을 사용해야 합니다.

(5)개

물음에 답하세요.

10원과 50원짜리 동전으로만 주어진 개수에 맞게 300원을 만듭니다. 빈 곳에 알맞게 동전의 금액을 써넣으세요.

(50)(50)(50)(50)(50)
(10)(10)(10)(10)(10)

50원 동전으로만 300원을 만든다면 50원 동전 6개가 필요합니다.
50원 동전을 10원 동전으로 바꾸면서 동전 개수를 맞춥니다.

50원과 100원짜리 동전으로만 주어진 개수에 맞게 700원을 만듭니다. 빈 곳에 알맞게 동전의 금액을 써넣으세요.

(100)(100)(100)(100)(50)
(50)(50)(50)(50)(50)

100원 동전으로만 700원을 만든다면 100원 동전 7개가 필요합니다.
100원 동전을 50원 동전으로 바꾸면서 동전 개수를 맞춥니다.

정답

형성평가

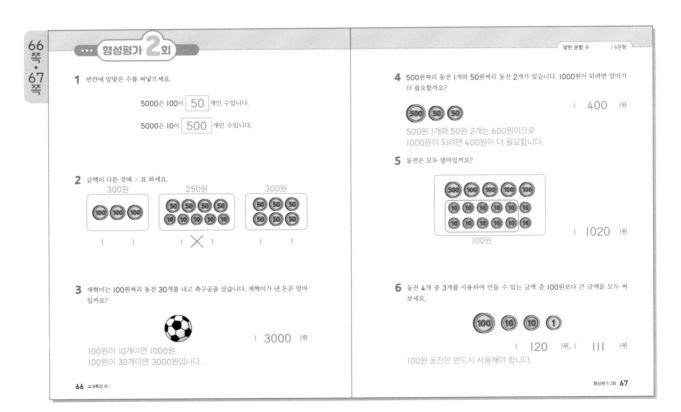

형성평가

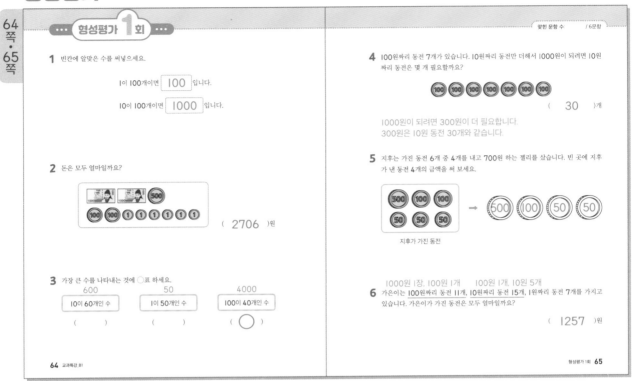

형성평가 1회 (64쪽·65쪽)

1 빈칸에 알맞은 수를 써넣으세요.

1이 100개이면 **100** 입니다.

10이 100개이면 **1000** 입니다.

2 돈은 모두 얼마일까요?

(**2706**)원

3 가장 큰 수를 나타내는 것에 ○표 하세요.

600	50	4000
10이 60개인 수	1이 50개인 수	100이 40개인 수
( )	( )	(○)

맞힌 문항 수 / 6문항

4 100원짜리 동전 7개가 있습니다. 10원짜리 동전만 더해서 1000원이 되려면 10원짜리 동전은 몇 개 필요할까요?

(**30**)개

1000원이 되려면 300원이 더 필요합니다.
300원은 10원 동전 30개와 같습니다.

5 지후는 가진 동전 6개 중 4개를 내고 700원 하는 젤리를 샀습니다. 빈 곳에 지후가 낸 동전 4개의 금액을 써 보세요.

지후가 가진 동전

1000원 1장, 100원 1개   100원 1개, 10원 5개

6 가온이는 100원짜리 동전 11개, 10원짜리 동전 15개, 1원짜리 동전 7개를 가지고 있습니다. 가온이가 가진 동전은 모두 얼마일까요?

(**1257**)원

64 교과특강_B1
형성평가 1회 65

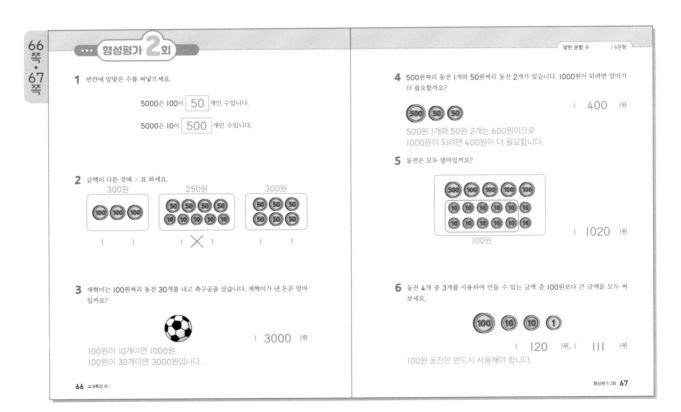

형성평가 2회 (66쪽·67쪽)

1 빈칸에 알맞은 수를 써넣으세요.

5000은 100이 **50** 개인 수입니다.

5000은 10이 **500** 개인 수입니다.

2 금액이 다른 것에 ✕표 하세요.

| 300원 | 250원 | 300원 |
| ( ) | (✕) | ( ) |

3 재혁이는 100원짜리 동전 30개를 내고 축구공을 샀습니다. 재혁이가 낸 돈은 얼마일까요?

(**3000**)원

100원이 10개이면 1000원,
100원이 30개이면 3000원입니다.

맞힌 문항 수 / 6문항

4 500원짜리 동전 1개와 50원짜리 동전 2개가 있습니다. 1000원이 되려면 얼마가 더 필요할까요?

(**400**)원

500원 1개와 50원 2개는 600원이므로
1000원이 되려면 400원이 더 필요합니다.

5 동전은 모두 얼마일까요?

(**1020**)원

6 동전 4개 중 3개를 사용하여 만들 수 있는 금액 중 100원보다 큰 금액을 모두 써 보세요.

(**120**)원, (**111**)원

100원 동전은 반드시 사용해야 합니다.

66 교과특강_B1
형성평가 2회 67

16 교과특강_B1

초등 수학 핵심파트 집중 완성 교과특강

"교과수학을 완성합니다."

수와 도형의 배열에서 규칙을 찾아
사고력을 기릅니다.

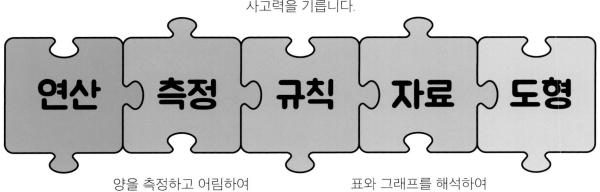

양을 측정하고 어림하여
실생활의 수 감각을 기릅니다.

표와 그래프를 해석하여
추론능력을 기릅니다.